55 TOLLE PARTY-REZEPTE

DAS MACHT LUST AUFS FEIERN

SORGT FÜR STIMMUNG

FÜR MEHR SPASS IM GLAS

OH STRESS LASS NACH!

JETZT GEHT DIE PARTY RICHTIG LOS!

Fingerfood, Tapas

Snacks,

Köstliche Kleinigkeiten, die vom Party-Start weg gute Laune garantieren

ChiliMANGO

Appetizer für das Asia-Menü (Seite 94)

ZUBEREITUNGSZEIT: 25 MIN.

Für 6 Portionen

1 sehr reife Mango

1 rote Chilischote

1 walnussgroßes Stück Ingwer

1-2 EL Erdnusskerne

Saft und abgeriebene Schale von 1 Limette (unbeh.)

3 EL Öl, Salz, Pfeffer

1 Msp. Zucker

1 schmale, lange Salatgurke

Korianderblätter, Chilistreifen für die Dekoration

Pro Portion: 110 kcal/460 kJ

1 Mango schälen, Fruchtfleisch vom Stein schneiden und fein würfeln. Chilischote längs halbieren, entkernen, waschen und fein hacken. Ingwer schälen und fein reiben. Nüsse grob hacken.

2 Limettensaft und -schale mit Chili, Ingwer, Öl, Salz, Pfeffer und Zucker verrühren, Mango unterheben. Gurke waschen, schräg in etwa 2 cm breite Scheiben teilen. Mit einem Löffel so weit entkernen, dass noch ein „Boden" stehen bleibt.

3 Salat abschmecken. Die Gurkenschiffchen auf einen Teller setzen, Mango-Salat einfüllen. Mit Nüssen, Koriander und Chilistreifen verzieren.

als aperitif

Melonen-Cocktail (für 6 Gläser): Fruchtfleisch von 1 Wassermelone (3 kg) entkernen, pürieren. Saft von 3 Orangen zugeben. Mit 3 EL Zucker, Limettensaft, Orangenlikör abschmecken. Eiswürfel in Gläser geben, mit dem Cocktail auffüllen. Evtl. mit Melone garnieren.

!was fürs Auge

Erst der Melonen-Cocktail und dann „Schiffe versenken" im Asia-Style

Filet HAPPEN

Als Pick-up für die Tapas-Party (Seite 92/93)

ZUBEREITUNGSZEIT: 30 MIN.

FÜR 8 PORTIONEN

BITTE BEACHTEN: FLEISCH MUSS ÜBER NACHT MARINIEREN

2 Schweinefilets (à ca. 300 g)

6 Knoblauchzehen

je 2 TL getrockneter Majoran und Thymian

Salz, Pfeffer, 2 TL Paprikapulver (edelsüß)

2 Msp. gemahlener Kreuzkümmel

3-4 EL Olivenöl

AUSSERDEM

Olivenöl zum Braten

8 Weißbrotscheiben

Pro Portion: 220 kcal/920 kJ

1 Filets waschen und trockentupfen, eventuell Häute und Sehnen abschneiden. Knoblauch abziehen, durch die Knoblauchpresse in eine Schüssel drücken. Mit Gewürzen und Öl zu einer Paste vermischen. Fleisch damit einpinseln, in Klarsichtfolie einschlagen und über Nacht im Kühlschrank marinieren lassen.

2 Fleisch aus der Folie nehmen, in ca. 1 cm dicke Scheiben schneiden und leicht flach klopfen. Öl in einer Pfanne erhitzen und die Fleischscheiben auf jeder Seite 1-2 Minuten braten.

3 Zum Servieren das Fleisch auf den Weißbrotscheiben anrichten, nach Belieben mit schwarzen Oliven und dünnen Zitronenscheiben (unbehandelt) garnieren.

getränke-tipp

Sangria: Je 3 unbehandelte Orangen und Zitronen waschen, in Scheiben teilen. Mit 2 EL Zucker und 100 ml spanischem Brandy marinieren. Mit ½ - 1 l gekühltem Mineralwasser und 1 l halbtrockenem spanischem Rotwein (z.B. Rioja) auffüllen.

Klar schmeckt auch ein Bier dazu. Aber typisch spanisch ist nun mal eine Sangria

! fix gebraten

Pikante GARNELEN

Diese Tapas sind ein Muss!

ZUBEREITUNGSZEIT: 30 MIN.

Für 8 Portionen

24 mittelgroße, rohe TK-Garnelenschwänze ohne Schale

1 kleine Gemüsezwiebel

5 Tomaten, 6 EL Olivenöl

3 Knoblauchzehen

Salz, Pfeffer, Zucker

Zitronenspalten (unbehandelt)

Kräuter zum Garnieren

Pro Portion: 215 kcal/900 kJ

1 Garnelen am Rücken entlang aufschneiden, jeweils den schwarzen Darmfaden entfernen. Garnelen abbrausen und trockentupfen. Gemüsezwiebel abziehen, klein würfeln. Tomaten ½ Minute in kochendes Wasser legen, kalt abschrecken, häuten, halbieren, entkernen und das Fruchtfleisch fein würfeln.

2 3 EL Öl in einem Topf erhitzen. Zwiebel und ganze ungeschälte Knoblauchzehen darin andünsten. Tomaten zugeben, aufkochen. Mit Salz, Pfeffer und Zucker würzen.

3 Übriges Öl in einer Pfanne erhitzen, Garnelen darin ca. 1 Minute braten. Tomatensauce zugeben, noch 1-2 Minuten erhitzen. Kalt, mit Zitronen und Kräutern garniert, servieren.

auch toll

Ebenfalls **Tapas** vom Feinsten: 300-400 g **Manchego-Käse** (spanischer Hartkäse) entrinden und in 3 mm dünne Scheiben schneiden. Mit Olivenöl beträufeln, mit grob gemahlenem schwarzem Pfeffer überstreuen und mit Oliven anrichten.

Leckerbissen für
die Tapas-Party
(auf Seite 92/93):
leicht, köstlich,
voller Würze

! immer ein Hit

Cordons BLEUS

Gut aufgespießt, gut aufgelegt

ZUBEREITUNGSZEIT: 60 MIN.

Für 30 Stück

800 g Schweinefilet

4 dünne Scheiben Käse (z.B. Comté oder Leerdamer)

4 hauchdünne Scheiben gekochter Schinken (z.B. Honigschinken)

Salz, Pfeffer

2 Eier (Größe M)

6 EL Mehl

200 g Semmelbrösel

Butterschmalz zum Braten

FÜR DIE DEKORATION

Kirschtomaten, Oliven und Trauben

kleine Holzspieße

AUSSERDEM

1 Flasche Chilisauce (Fertigprodukt)

Pro Stück: 90 kcal/380 kJ

1 Schweinefilet waschen, trockentupfen, Sehnen und Häute entfernen. Filet in 2 cm dicke Scheiben schneiden. In die Scheiben mit einem scharfen Messer Taschen einschneiden. Käse- und Schinkenscheiben aufeinander legen, etwas kleiner als die Filets schneiden. Filets mit Käse und Schinken füllen, leicht salzen und pfeffern. Eier in einem Teller verquirlen. Mehl und Brösel in Teller füllen. Fleisch nacheinander in Mehl, Ei und Bröseln wenden. Die Panade fest andrücken.

2 Jeweils 2-3 EL Schmalz in zwei großen beschichteten Pfannen erhitzen. Cordons bleus bei mittlerer Hitze von jeder Seite 2 Minuten braten. Auf Küchenpapier abtropfen lassen. Zugedeckt beiseite stellen, bis alle „Minis" gebraten sind.

3 Mini-Cordons-bleus zum Servieren mit halbierten Kirschtomaten, Oliven und Trauben verziert auf Platten oder Etageren anrichten. Chilisauce in Schälchen zum Dippen dazustellen.

prima vorzubereiten

Handliche „Minis" für jede Party, z.B. auch für Silvester (Seite 95)

Feste feiern ohne Stress

Eine Party zu planen macht Spaß! Und mit ein paar Tipps kommt keine Hektik auf

- **Für ein formelles Fest** schriftliche Einladungen 3-4 Wochen vorher verschicken und unbedingt um Rückanwort bitten.
- **Für eine Party** genügt es, Freunden telefonisch 10-14 Tage vorher Bescheid zu geben.
- **Wenn Sie ein Menü servieren** möchten: Planen Sie drei oder vier Gänge. Und zwar eventuell Fingerfood zum Aperitif, Suppe oder Salat als Vorspeise, Hauptgang und Dessert. Sollten unter den Gästen Käse-Liebhaber sein, können Sie vor dem Dessert noch einen Käsegang reichen.

WICHTIG: Die einzelnen Speisen sollten aufeinander abgestimmt und abwechslungsreich sein. Also z.B. nicht Geflügelcremesuppe als Vorspeise und gebratene Entenbrust als Hauptgang reichen. Wer wenig Zeit hat, stellt ein Menü zusammen, das sich teilweise schon am Vortag zubereiten lässt.

- **Falls Sie ein Buffet planen,** kommen alle Speisen gleichzeitig auf den Tisch, warme Speisen werden auf Rechauds warm gehalten: Jeder bedient sich nach Lust und Appetit.
- **Wer Tischschmuck und Namenskärtchen** selbst basteln möchte (Seite 92-95), sollte das eine Woche vorher erledigen. Kontrollieren Sie auch, ob genug Geschirr, Besteck und Gläser sowie Stühle vorhanden sind: Notfalls bei Freunden oder beim Party-Verleih (Telefonbuch, Gelbe Seiten) ausleihen.
- **Beim Einkauf beachten:** Eine Woche vorher haltbare Lebensmittel und Getränke kaufen, spezielle Lebensmittel und evtl. Blumen vorbestellen. Frische Lebensmittel erst kurz vor der Verarbeitung besorgen.

Wie viel wovon für jeden Gast?

Ob Menü oder Buffet: Pro Person rechnet man bei verschiedenen Speisen mit einem Gesamtgewicht von 500 Gramm

DAS HEISST PRO PERSON

FINGERFOOD: 3-5 Stück (2 Sorten) für einen Empfang; 10-12 Stück (2-3 Sorten), falls der Anlass länger dauert und noch ein anderes Gericht serviert wird; 20 Stück (mindestens 4 Sorten), wenn ein Fest vorwiegend mit Häppchen, einer Suppe und einem Dessert bestritten wird.

SUPPE: ⅛ - ¼ l als Vorspeise, dazu 1 mittelgroße Scheibe Brot (30 g); ½ l als Hauptgericht, dazu 1 große Scheibe Brot (50 g).

SALAT: Blattsalat 30 g, Gemüse- und Eiersalat 60 g, Kartoffelsalat 130 g.

friends

FISCH: 50 g als Vorspeise, 150-200 g als Hauptgericht.

GEFLÜGEL (ohne Knochen): 150-180 g.

FLEISCH (ohne Knochen): 180-200 g.

SAUCE: 30-50 ml (2-3 EL).

GEMÜSE und **KARTOFFELN** als Beilage (geputzt): je 150-200 g.

NUDELN und **REIS** als Beilage (ungekocht): 50 g.

KÄSE: etwa 50 g als Teil eines großen Buffets, 75-100 g als Dessert bei einem Menü.

BROT: 60 g, das entspricht etwa ¼ dünnen Baguette.

DESSERT: etwa 100 g.

GETRÄNKE: 1-2 Flaschen Bier, ½ Flasche Wein, 1 Flasche Mineralwasser; Saft für Autofahrer & Kinder.

Marinierte PILZE

Würzige Häppchen in Sherry

ZUBEREITUNGSZEIT: 25 MIN.

Für 8 Portionen

750 g kleine Champignons

3 Knoblauchzehen

3 Schalotten

7 EL Olivenöl

130 ml trockener Sherry

Salz, Pfeffer

1 Bund glatte Petersilie

Pro Portion: 200 kcal/840 kJ

1 Pilze mit Küchenpapier abreiben, Stiele abschneiden. Knoblauch und Schalotten abziehen, sehr fein würfeln (kleine Zehen nach Belieben auch ganz lassen oder halbieren).

2 Olivenöl in einer Pfanne erhitzen, Knoblauch und Schalotten darin glasig braten. Pilze dazugeben und unter Wenden etwa 7 Minuten bei mittlerer Hitze braten. Mit Sherry ablöschen. Pilze mit Salz und Pfeffer würzen. Petersilie waschen, trockenschütteln und die Blättchen fein hacken. Pilze abkühlen lassen.

3 Pilze mit Petersilie bestreuen und auf einem Teller oder in einer flachen Schale anrichten.

tapas-klassiker

Gibt's in Spanien in jeder Bar: köstlich würzigen **Serrano-Schinken** (250 g) – in dünne kleine Scheiben geschnitten und mit Salzmandeln (200 g), die man fertig kauft und evtl. noch mit Paprikapulver (edelsüß) würzt, angerichtet.

Fürs Tapas-Buffet (auf Seite 92/93): aufgabeln und genießen

! schnell fertig

Kartoffel TORTILLA

Tapas mit Thunfisch

ZUBEREITUNGSZEIT: 40 MIN.

Für 8 Portionen

300 g Kartoffeln (fest kochend)

1 mittelgroße Zwiebel

1 rote Paprikaschote

1 Zweig Rosmarin

5 EL Olivenöl, Salz, Pfeffer

1 TL Paprikapulver (edelsüß), etwas Paprikapulver (rosenscharf)

100 g Thunfisch im eigenen Saft, 4-5 Eier (Größe M)

kleine Holzspieße

Pro Portion: 140 kcal/590 kJ

1 Kartoffeln schälen, große Kartoffeln längs halbieren. Kartoffeln in Scheibchen schneiden. Zwiebel abziehen. Paprika halbieren, entkernen, waschen, in feine Streifen schneiden. Rosmarinnadeln fein hacken.

2 In einer beschichteten Pfanne 3 EL Öl erhitzen. Kartoffeln und Zwiebel zufügen, 12-15 Minuten dünsten, bis die Kartoffeln fast gar sind. Mit Rosmarin, Salz, Pfeffer, Paprikapulver würzen. Thunfisch abtropfen lassen und zerpflücken.

3 Eier in einer Schüssel verquirlen. Mit Kartoffeln, Paprika, Thunfisch mischen. In der Pfanne 1 EL Öl erhitzen. Eier-Mischung einfüllen. Tortilla in 8-10 Minuten bei kleiner Hitze hellbraun braten, einmal wenden. Mit übrigem Öl bepinseln.

4 Tortilla in Stückchen teilen, anrichten, mit Spießchen versehen.

getränke-tipp

Für **Sherry-Weine** gilt: je heller, je trockener. Gut gekühlt ist der hellgelbe, trockene Fino ein klassischer Aperitif.
Der halbtrockene Medium eignet sich für jede Gelegenheit.
Und der süße dunkle Cream krönt Desserts und Kuchen.

Fingerfood am Spieß in mundgerechten Happen – fürs Tapas-Fest (Seiten 92/93)

! einfach gut

HufEISEN

Wünschen Glück im neuen Jahr

ZUBEREITUNGSZEIT: 60 MIN.

Für 12 Stück

450 g TK-Blätterteig (6 Platten)

300 g Doppelrahm-Frischkäse, Salz, Pfeffer

2 EL tiefgekühlter oder frischer gehackter Dill

etwas abgeriebene Zitronenschale (unbehandelt)

200 g Räucherlachs in Scheiben, 2 Eigelb (Eier: Größe M)

2 EL Milch

nach Belieben 3-4 EL Sesamsamen

Pro Portion: 285 kcal/1200 kJ

1 Die Blätterteigplatten nebeneinander liegend auftauen lassen. Frischkäse mit Salz, Pfeffer, Dill und Zitronenschale verrühren, abschmecken. Blätterteigplatten diagonal halbieren und ausrollen. Blätterteigstücke mit der Frischkäsemischung bestreichen, dabei rundum einen Rand frei lassen. Mit Lachs belegen und von der Längsseite her einrollen. Zu Hufeisen formen und die spitzen Enden gerade schneiden.

2 Den Elektro-Ofen auf 200 Grad vorheizen. Eigelbe mit Milch verquirlen, Croissants damit bestreichen und nach Belieben mit Sesamsamen bestreuen. Hörnchen im Ofen bei 200 Grad (Gas: Stufe 3) 10-15 Minuten backen. Auf einem Kuchengitter abkühlen lassen.

3 Hufeisen-Croissants auf Tellern, einer Platte oder einer Etagere anrichten.

info

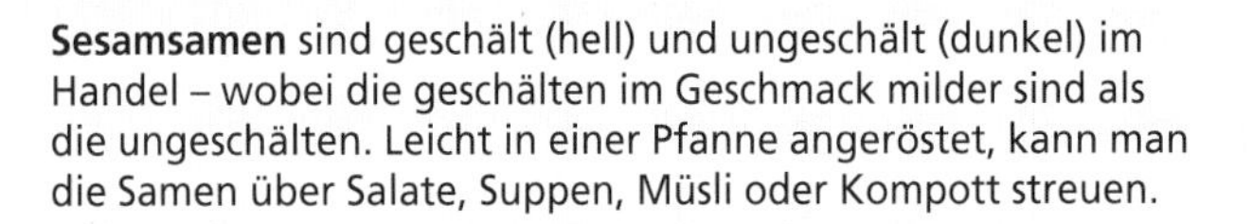

Sesamsamen sind geschält (hell) und ungeschält (dunkel) im Handel – wobei die geschälten im Geschmack milder sind als die ungeschälten. Leicht in einer Pfanne angeröstet, kann man die Samen über Salate, Suppen, Müsli oder Kompott streuen.

Witzige Snack-Idee, z.B. für die Silvester-Party (Seite 95)

!originell

Party-Starter

Sie machen Appetit aufs Essen und sorgen von Anfang an für gute Stimmung

Martini-Cocktail

Der Klassiker unter den Aperitifen aus den USA.

Pro Drink in einem Rührglas 3 Eiswürfel mit 7 cl Gin und 1 cl Wermut verrühren, durch das Barsieb in ein Martiniglas gießen. Evtl. eine ungespritzte Zitronenschale über dem Drink auspressen. Dabei wird der „Zest", ein Spritzer Fruchtöl, versprüht. Schale eintauchen oder Drink mit 1 Olive (mit Stein, nicht gefüllt!) garnieren.

CeBit

Der Drink wurde anlässlich der größten Computermesse der Welt komponiert.

Pro Drink 4 cl weißen Rum, 2 cl Litschilikör, 3,5 cl Zitronensaft und 1,5 cl Vanillesirup mit 3 Eiswürfeln in einen Shaker geben und schütteln. Drink in ein Cocktailglas abgießen. Gummibärchen und Marshmallows auf einen Spieß stecken, mit Lakritze umwickeln. Drink damit garnieren.

Caipirinha

Trend-Cocktail aus Lateinamerika.
Eine unbehandelte, gewaschene Limette in Achtel schneiden, mit 1-2 Barlöffel Zucker in ein Becherglas geben und mit einem Barstößel zerdrücken. 5 cl Cachaça (Zuckerrohrschnaps) dazugeben, gut verrühren. Glas mit zerstoßenem Eis auffüllen, Caipirinha vorsichtig umrühren.

Red Sun

Pro Drink in ein Becherglas 4 Eiswürfel, 1 cl Grenadinesirup, 4 cl Campari und 1 cl Zitronensaft geben. Mit 100 ml Orangensaft auffüllen. 2 Orangenspalten auf ein Spießchen stecken und den Drink damit servieren.

Blue Hawaii

Ein Gruß aus Swinging London.
Pro Drink 3 Eiswürfel in einen Shaker geben. 6-7 cl Bacardi-Rum, 1,5 cl Blue Curaçao und 3 cl Ananassaft sowie 1 TL Kokosnusscreme zugeben. Alles gut schütteln und den Drink in ein Cocktailglas abgießen.

Vulcano

Pro Drink in ein Sektglas 1 EL Himbeersaft und 2 EL Orangenlikör geben. Mit eisgekühltem Sekt auffüllen. Mit einer gewaschenen Himbeere dekoriert servieren.

Erdbeer-Cocktail

Pro Drink 5 geputzte, gewaschene Erdbeeren mit 1 cl Erdbeersirup, 3 cl Red Orange (roter Orangenlikör) und 2 cl Orangensaft im Mixer pürieren. In ein Sektglas gießen und mit eiskaltem Prosecco auffüllen. Mit einer gewaschenen, halbierten Erdbeere dekorieren.

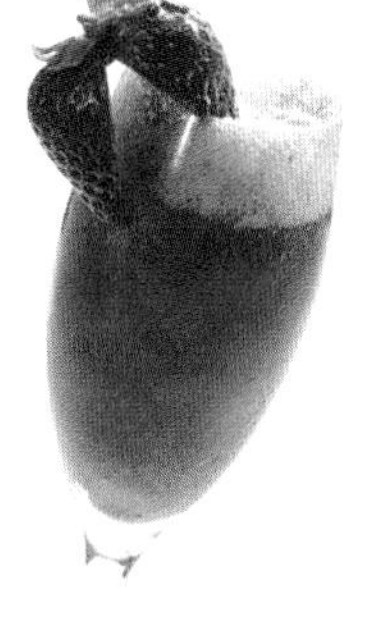

FREUNDE,

Antipasti, Spaghetti ohne Ende, dazu zwei super Saucen und gute Freunde, mit denen man gern zusammensitzt. Was will man mehr!

DER ZEITPLAN

1 WOCHE VORHER
Getränke und haltbare Lebensmittel einkaufen.

AM VORTAG
Restliche frische Lebensmittel einkaufen, Salate vorbereiten, Paprikasauce vorbereiten.

AM TAG DER EINLADUNG

Morgens
Meeresfrüchte-Sauce vorbereiten. Obstsalat zubereiten.

1 Stunde bevor die Gäste eintreffen
Antipasti-Teller anrichten, zugedeckt kühl stellen.

Wenn die Gäste da sind
Aperitif zubereiten, Kräuter-Baguette aufbacken, Saucen erwärmen, Spaghetti kochen, Obstsalat anrichten.

ES GIBT PASTA!

Als Aperitif:

SEKT-COCKTAIL

In jedes Glas 2 TK-Himbeeren und 1-2 Blätter frische Minze geben und mit 0,1 l trockenem Sekt aufgießen.

DAS GIBT ES
FÜR 8 PERSONEN

SEKT-COCKTAIL

ANTIPASTI-TELLER
mit Kräuter-Baguette

SPAGHETTI
und 2 tolle Saucen:
Meeresfrüchte-Sauce „Nettuno“
Paprikasauce

OBSTSALAT

AntiPASTI

Machen Lust auf einen geselligen Abend

ZUBEREITUNGSZEIT: 40 MIN.

Für 8 Portionen

600 g TK-Prinzessbohnen

Salz, 3 Zweige frisches Bohnenkraut

1 Schalotte

3 getrocknete Tomaten

6 EL Öl, 5 EL Weißweinessig

1-2 Msp. Senf (mittelscharf), Pfeffer

1 vorgekochte Rote Bete (ca. 150 g)

2 Cornichons

1 Bund Schnittlauch

1 Zwiebel

1-2 EL Zitronensaft

3 EL Haselnussblättchen

1 Glas Kürbis süß-sauer (Abtropfgewicht: 330 g)

1 kleines Baguette (250 g)

75 g Kräuterbutter, Alufolie

200 g Hirschsalami in dünnen Scheiben

Pro Portion: 360 kcal/1510 kJ

1 **Am Vortag:** Bohnen in Salzwasser mit 1 Zweige Bohnenkraut 3-5 Minuten kochen. In ein Sieb abgießen, abkühlen lassen. Übrige Krautblättchen abzupfen. Schalotte abziehen, würfeln oder in Ringe teilen. Tomaten hacken. Schalotte in wenig Öl anbraten, Tomaten mitdünsten. Mit 3 EL Öl, Essig, Senf, Salz, Pfeffer würzen. Bohnen, -kraut unterheben.

2 Rote Bete in Spalten schneiden. Cornichons würfeln. Schnittlauch waschen, in Röllchen teilen. Zwiebel abziehen, würfeln. Aus 2 EL Öl, 4 EL Cornichon-Sud und Zitronensaft eine Marinade rühren. Salzen, pfeffern. Gut die Hälfte der Zwiebel, Cornichons und Schnittlauch zugeben. Rote Bete mit der Marinade mischen. Nüsse in einer beschichteten Pfanne ohne Fett leicht anrösten. Kürbis abtropfen lassen.

3 **Kurz bevor die Gäste kommen:** Elektro-Ofen auf 225 Grad heizen. Brot ein-, aber nicht durchschneiden. Schnittflächen buttern. Brot in Folie wickeln, im Ofen bei 225 Grad (Gas: Stufe 4) 10 Minuten backen.

4 **Zum Servieren:** Brot portionieren, mit Salami und übrigen Zutaten anrichten. Nüsse über Kürbis, Zwiebelmischung über Rote Bete geben.

! alles vorbereitet

Vorspeisenteller mit kleinen Schlemmereien: von süß-saurem Kürbis bis Hirschsalami

Sauce 1: „NETTUNO“

Blitz-Variante mit TK-Meeresfrüchten

ZUBEREITUNGSZEIT: 30 MIN.

Für 8 Portionen

200 g Zwiebeln

1 Bund Dill

2 Pck. TK-Frutti di mare (Meeresfrüchtemischung, gekocht, à 275 g)

3 EL Öl, Salz, Pfeffer

300 ml Fischfond (Glas)

3-4 EL Zitronensaft

250 g Schlagsahne

200 g Crème double

Pro Portion: 415 kcal/1740 kJ

1 **Am Morgen der Party:** Zwiebeln abziehen und fein würfeln. Dill waschen, trockenschütteln und die Spitzen abzupfen. Meeresfrüchte in ein Sieb geben, im Kühlschrank auftauen lassen.

2 Zwiebeln in heißem Öl glasig dünsten. Mit Salz und Pfeffer würzen. Fond und Zitronensaft zugeben, aufkochen lassen. Sahne und Dill dazugeben, bei mittlerer Hitze etwa 10 Minuten einkochen. Zwiebeln in der Sauce fein pürieren, Crème double zufügen und glatt rühren.

3 **Wenn die Gäste da sind:** Meeresfrüchte unter die Sauce heben. Alles heiß werden lassen. Noch mal mit Salz, Pfeffer und Zitronensaft abschmecken. Evtl. mit Dill garnieren.

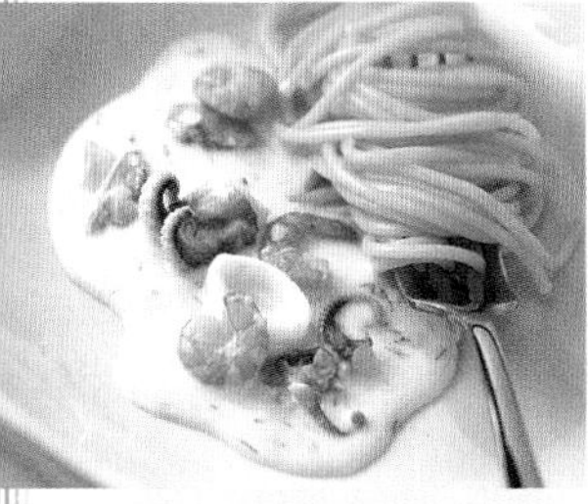

tipp

Ideal für **schnelle Saucen**: der Cocktail aus gekochten Meeresfrüchten mit Garnelen, Mies- und Venusmuscheln sowie Tinfenfisch und Surimi-Stücken. Auch bestens geeignet für Salate, Fischsuppen und Paella oder als Pizza-Belag.

fix & fein
Meeresfrüchte in würziger
Sahnesauce:
Mann, schmeckt das lecker!

Nr. 2: PaprikaSAUCE

Darauf geben wir Genuss-Garantie

ZUBEREITUNGSZEIT: 30 MIN.

Für 8 Portionen

4 rote Paprikaschoten

1 große Zwiebel

3 EL Olivenöl

300 ml Gemüsebrühe (Instant)

75 g Erdnusskerne (geröstet und ungesalzen)

je 1 gelbe und grüne Paprikaschote

1 kleine Fenchelknolle (ca. 200 g), 4 Lauchzwiebeln

Salz, Pfeffer

Paprikapulver (edelsüß)

1-2 TL Zitronensaft

evtl. etwas Anisschnaps (z.B. Pernod) zum Abschmecken

Pro Portion: 185 kcal/780 kJ

1 **Am Vortag oder morgens:** Rote Paprika waschen, putzen und würfeln. Zwiebel abziehen, würfeln und in 2 EL heißem Öl glasig dünsten. Paprika zugeben und kurz andünsten. 100 ml Brühe angießen, Paprika darin etwa 5 Minuten weich dünsten. Paprika in der Brühe pürieren, durch ein Sieb streichen.

2 Erdnüsse mahlen. Übrige Paprika waschen, halbieren, Kernchen und Trennhäute entfernen. Mit einem Sparschäler die Haut abschälen. Fruchtfleisch würfeln. Fenchel waschen, putzen, das Grün beiseite legen, die Knolle fein würfeln. Lauchzwiebeln waschen, putzen, schräg in schmale Ringe schneiden. Fenchelgrün mittelfein hacken.

3 Restliches Öl erhitzen, Gemüsewürfel kurz darin schwenken. Erdnüsse, pürierte Paprika und restliche Brühe zugeben. Sauce aufkochen, 2 Minuten köcheln. Mit Salz, Pfeffer, Paprikapulver und Zitronensaft würzig abschmecken.

4 **Wenn die Gäste da sind:** Sauce erhitzen. Lauchzwiebeln und Fenchelgrün unterheben, erhitzen, abschmecken. Zuletzt mit einem Schuss Anisschnaps abrunden.

Die Nudeln „al dente" und die Sauce mit Biss: pürierte Paprika mit knackigen Gemüsewürfeln

! schnell gemacht

Spaghetti KOCHEN

Aber bitte „al dente"

ZUBEREITUNGSZEIT: 10 MIN.

Für 8 Portionen

1-2 EL Öl, Salz

1 kg Spaghetti oder Spaghettoni

Pro Portion: 485 kcal/2040 kJ

1 **Wenn die Gäste da sind:** Reichlich Wasser mit etwas Öl und 1 EL Salz zum Kochen bringen.

2 **Wenn die Vorspeise serviert wurde:** 500 g Spaghetti ins sprudelnd kochende Wasser geben, nach Packungsangabe bissfest kochen. Für die übrigen Spaghetti einen zweiten Topf Salzwasser mit Öl aufsetzen.

3 Spaghetti in ein Sieb abgießen, gut abgetropft mit Sauce servieren. Restliche Spaghetti ins kochende Wasser des zweiten Topfes geben, bissfest kochen und servieren, wenn die erste Portion gegessen wurde.

wein-tipp

Getränke zur Spaghetti-Party: Je nach Vorliebe können Sie einen **kräftigen Rotwein** mit Zimmertemperatur (z.B. einen italienischen Barbera oder Chianti Classico) oder einen gekühlten trockenen Weißwein (z.B. Grauburgunder) reichen.

Und jetzt nichts wie ran an die Nudeln! Wer noch mehr Saucen anbieten möchte – wie wär's mit fertigem Pesto aus dem Glas?

Pasta mit Biss

ObstSALAT

Wunderbar aromatisch und leicht

ZUBEREITUNGSZEIT: 25 MIN.

Für 8 Portionen

BITTE BEACHTEN: OBSTSALAT MUSS KALT GESTELLT WERDEN

- *400 g Orangen*
- *600 g Mangos*
- *200 g Kiwis*
- *250 g kernlose Trauben*
- *300 g Birnen*
- *50 ml Zitronensaft*
- *5 EL Zucker*
- *1 Zitrone (unbehandelt)*
- *400 ml fruchtiger Weißwein*

AUSSERDEM

- *evtl. 1000 ml Vanilleeis*

Pro Portion: 190 kcal/800 kJ

1 **Am Morgen der Party:** Von den Orangen die Schale so dick abschälen, dass auch die weiße Haut mit entfernt wird. Mit einem scharfen Messer die Fruchtfilets zwischen den weißen Trennhäuten herausschneiden, den herabtropfenden Saft auffangen. Fruchtfilets samt Saft in eine Schüssel geben.

2 Mangos schälen und das Fruchtfleisch vom Stein schneiden. Dann das Fruchtfleisch in dünne Spalten teilen. Kiwis schälen, längs halbieren und in dünne Scheiben schneiden. Trauben waschen, trockentupfen, Beeren von den Stielen zupfen und längs halbieren. Birnen vierteln, schälen, Kerngehäuse entfernen und Birnenviertel in Blättchen schneiden.

3 Früchte und Zitronensaft mit den Orangenfilets mischen und mit Zucker bestreuen.

4 Die Zitrone waschen, trocknen, längs halbieren, die Hälften in ganz dünne Scheiben schneiden und zugeben. Alles mit Weißwein aufgießen und zugedeckt kalt stellen.

5 **Wenn die Gäste mit den Spaghetti fertig sind:** Obstsalat auftragen und nach Belieben noch Vanilleeis dazureichen.

Freche Früchtchen mit kleinem Schwips, die einem Flirt mit Vanilleeis nicht abgeneigt sind

! ziehen lassen

DekoIdeen

Kaum Arbeit, trotzdem witzig: Anregungen, mit denen Sie im Nu „Al-dente-Ambiente" auf den Tisch zaubern

PASTA-SERVIETTEN

Gibt's in den unterschiedlichsten Farben und Mustern. Damit alle wissen: Die Spaghetti-Party kann steigen

PLATZANWEISER

Je 1 Bündel Spaghetti locker mit Kordel umwickeln, Namensschild daran befestigen und auf die Teller stellen

STATT BLUMEN…

… Spaghetti in schlanke Flaschen oder in hohe Vasen stellen

ES MIT BLUMEN SAGEN

Stoffservietten zusammenrollen und durch einen Serviettenring (oder eine Schlaufe aus dem gleichen Stoff) ziehen. In den Ring bzw. in die Schlaufe je eine Blume stecken

ORIGINELLE SETS

Spaghetti-Packungen nebeneinander auf den Farbkopierer legen. In DIN-A3 kopieren. Kopien auf Pappe kleben

Sie sollen nicht viel Arbeit machen,
schnell geh'n und was hermachen –
bitte schön: diese hier tun's!

Salate

TomatenSUPPE

Schnell mit Fertigprodukten & TK-Ware

ZUBEREITUNGSZEIT: 40 MIN.

Für 8 Portionen

FÜR DIE GARNELEN

1 Stück frischer Ingwer (2 cm)

2 Limetten (unbehandelt)

2 Chilischoten, 2 EL Öl

400 g aufgetaute TK-Garnelen (geschält, gegart)

FÜR DIE SUPPE

4 Orangen, 2 rote Zwiebeln

1,6 kg geschälte Tomaten (Fertigprodukt), 2 EL Öl

1 ½ l Gemüsebrühe (Instant)

Salz, Pfeffer, Zucker

Petersilien- oder Korianderblättchen zum Garnieren

Pro Portion: 225 kcal/950 kJ

1 Ingwer schälen, in Stifte schneiden. Limetten waschen, trocknen, 1 TL Schale abreiben, Saft auspressen. Chilies entkernen, waschen, hacken. Ingwer, Limettenschale und 4 EL -saft, Chilies, Öl mischen. Garnelen darin 30 Minuten marinieren.

2 Orangen schälen, filetieren, dabei den Saft auffangen. Zwiebeln abziehen, vierteln, in Streifen schneiden. Tomaten in Stücke schneiden.

3 Öl in einem großen Topf erhitzen, Zwiebeln darin leicht bräunen. Tomaten und Brühe zugeben, aufkochen, 10 Minuten köcheln lassen. 2 EL Limetten- und Orangensaft einrühren. Mit Salz, Pfeffer, Zucker würzen. Orangen darin erwärmen.

4 Garnelen mit Marinade in einer Pfanne unter Rühren 1 Minute braten. Suppe in Teller geben, Garnelen einlegen, mit Kräutern garnieren.

auch edel

Brokkolisuppe: Je 2 gewürfelte Zwiebeln und Knoblauchzehen in 4 EL Butter dünsten. 2 l Gemüsebrühe (Instant) zugießen, 1 kg zerkleinerten Brokkoli 10 Minuten darin garen, pürieren. Mit Zitronensaft, Salz, Pfeffer, Muskat würzen. 400 g Schlagsahne einrühren, Suppe anrichten. Mit 8 vorgekochten Garnelen servieren.

! macht Eindruck

Für Partys und wenn Gäste kommen: Tomatensuppe, mit Garnelen fein gemacht

ReisnudelSALAT

Für alle, die es asiatisch mögen

ZUBEREITUNGSZEIT: 35 MIN.

Für 6 Portionen

200 g Möhren

1-2 EL Zucker

½ Chinakohl (300 g)

100 g Sprossen (z.B. Mungbohnen), 1 Salatgurke

1 walnussgroßes Stück Ingwer, 1 rote Chilischote

2 EL Sesamsamen

4 EL Weißweinessig

Salz, Pfeffer, 1-2 TL Honig

2 EL Sesam- oder Nussöl

3 EL Sonnenblumenöl

250 g breite Reisnudeln (Asienregal; ersatzweise Spaghettini), Schnittlauchröllchen zum Bestreuen

Pro Portion: 365 kcal/1530 kJ

1 Möhren putzen, schälen, in lange dünne Streifen hobeln. Mit Zucker bestreuen und beiseite stellen. Chinakohl waschen, putzen, in Streifen schneiden. Sprossen verlesen, waschen. Gurke waschen, putzen, längs vierteln, Kerne entfernen. Gurke längs in dünne Scheiben hobeln. Möhren in einem Sieb waschen, gut ausdrücken. Alle Zutaten vermischen.

2 Ingwer schälen, fein reiben. Chili längs aufschneiden, putzen, entkernen, waschen, fein hacken. Sesam in einer Pfanne ohne Fett rösten. Essig mit Ingwer, Chili, Salz, Pfeffer, Honig verrühren, abschmecken. Die Öle unterschlagen. Nudeln nach Packungsangabe garen.

3 Salatzutaten auf Teller verteilen, Dressing darüber geben. Nudeln abgießen, darauf verteilen oder untermischen. Mit Sesam und Schnittlauch bestreuen.

info

Reisnudeln werden aus Reismehl hergestellt. Sie sind als breite und schmale Bandnudeln und als Fadennudeln im Asienregal der Supermärkte oder in Asienläden erhältlich. Beim Garen werden sie milchig weiß.

Knackig mit Chinakohl und Möhren, exotisch gewürzt mit Ingwer, Chili und Sesam

fix fertig

Glücksrad SALAT

Der Nudelsalat für Silvester

ZUBEREITUNGSZEIT: 45 MIN.

Für 10 Portionen

500 g Rädchen-Nudeln, Salz

6 EL Weißweinessig, Pfeffer

2 EL flüssiger Honig

etwas abgeriebene Limettenschale (unbehandelt) und 1-2 EL Limettensaft zum Abschmecken

10 EL Olivenöl

250 g kleine Mozzarella-Kugeln

1 gelb- oder orangefleischige Melone (ca. 900 g; ersatzweise 2-3 saftige Birnen)

160 g roher Schinken in hauchdünnen Scheiben (z.B. Parmaschinken)

1-2 Bund Basilikum

Pro Stück: 415 kcal/1740 kJ

1 Nudeln nach Packungsangabe in reichlich sprudelndem Salzwasser bissfest kochen, abgießen, abschrecken. Essig mit Salz, Pfeffer, Honig, Limettenschale und -saft vermischen. Öl darunter schlagen. Mozzarella abtropfen lassen, mit ⅔ des Dressings unter die Nudeln heben.

2 Melone vierteln, schälen, entkernen und das Fruchtfleisch in kleine Würfel schneiden oder mit einem Kugelausstecher Kugeln herauslösen. (Birnen vierteln, Kerngehäuse entfernen. Birnen schälen, quer in Scheibchen schneiden.) Schinken nach Belieben in Streifen teilen.

3 Das restliche Dressing und die Melonenwürfel bzw. -kugeln (oder die Birnen) unter die Nudeln heben und noch mal abschmecken.

4 Basilikum abbrausen, Blättchen abzupfen und unter die Nudeln heben. Salat in eine Schüssel füllen, Schinken darauf verteilen.

Macht sich gut bei der Silvester-Party (Seite 95), kommt aber auch bei jeder anderen Party bestens an

(Seite 95)

! schmeckt allen

Löwenzahn SALAT

Idealer Start fürs kleine Menü

ZUBEREITUNGSZEIT: 40 MIN.

Für 6 Portionen

BITTE BEACHTEN: KÄSE MUSS ÜBER NACHT MARINIEREN

1 TL Thymianblättchen

3 EL Olivenöl

schwarzer Pfeffer

6 runde Ziegenfrischkäse (à 40 g; z.B. Picandou)

300 g Löwenzahn oder Endiviensalat, 1 Bund Rucola

4 EL Weißweinessig

4 EL Walnussöl

Salz, 1-2 TL Dijon-Senf

1-2 TL Honig

60 g Pinienkerne

3 Scheiben Frühstücksspeck (Bacon)

Pro Portion: 350 kcal/1470 kJ

1 Thymian hacken. Mit Öl und etwas Pfeffer verrühren. Den Ziegenkäse damit beträufeln und zugedeckt über Nacht marinieren lassen.

2 Salate waschen, putzen und trockenschleudern. Die Salate zerzupfen. Aus Essig, Walnussöl, Salz, Senf und Honig ein Dressing rühren und abschmecken. Pinienkerne in einer beschichteten Pfanne ohne Fett anrösten. Frühstücksspeck quer in schmale Streifen schneiden.

3 Salate mit dem Dressing vermischen, auf Teller verteilen.

4 Den Frühstücksspeck in einer kalten Pfanne erhitzen und kross braten. Die Ziegenkäse in einer beschichteten Pfanne von jeder Seite 1 Minute braten. Käse auf dem Salat verteilen, Speck obenauf geben und mit Pinienkernen bestreut servieren.

info

Jungen **Löwenzahn** für Salate kann man im Frühjahr auf Wiesen selbst pflücken. Sonst ist er beim Gemüsehändler erhältlich.

Damit fängt der Abend mit Freunden gut an

macht Eindruck

LinsenSUPPE

Muntermacher gegen Durchhänger

ZUBEREITUNGSZEIT: 70 MIN.

Für 10 Portionen

1 Zwiebel

2 Knoblauchzehen

1 Bund Suppengemüse

2 EL Öl zum Braten

300 g rote Linsen

1 ½ - 2 l Gemüsebrühe (Instant)

5 Tomaten

1 Bund Lauchzwiebeln

1-2 EL Zitronensaft

Salz, Pfeffer

einige Tropfen Tabascosauce

nach Belieben gemahlener Kreuzkümmel (Cumin)

200 g Crème fraîche oder Schmand

Pro Portion: 200 kcal/840 kJ

1 Zwiebel und Knoblauch abziehen, beides sehr fein würfeln. Suppengemüse putzen, waschen, eventuell schälen und sehr fein würfeln. Alles in heißem Öl in einem großen Topf andünsten. Linsen und etwa 1 ½ l Brühe zugeben, 15 Minuten köcheln lassen.

2 Inzwischen Tomaten oben einritzen, ½ Minute in kochendes Wasser legen. Tomaten häuten, halbieren, entkernen und würfeln. Lauchzwiebeln putzen, waschen, in feine Ringe teilen.

3 Suppe nur leicht pürieren. Mit Zitronensaft, Salz, Pfeffer, Tabasco und nach Belieben mit Kreuzkümmel würzig abschmecken. Suppe eventuell noch mit etwas Brühe auffüllen.

4 Etwa 100 g Crème fraîche oder Schmand einrühren. Die Suppe mit Tomaten und Lauchzwiebeln bestreut in einer Terrine oder in kleinen Tassen servieren. Restliche Crème fraîche oder übrigen Schmand getrennt dazu anrichten.

Tabasco gibt den Schärfe-Kick und späten Gästen neuen Schwung, z.B. in der Silvester-Nacht (zur Party siehe Seite 95)

leicht & lecker !

Die Flippigen

Mit oder ohne Alkohol – diese Drinks sind angesagt!

Pink Sun

PRO DRINK in einem Longdrink-Glas etwas Crushed Ice mit je 1 EL Cointreau, Grenadinesirup und Zitronensaft mit 7-up toppen. Mit 1 Cocktail-Kirsche dekorieren.

Summer Sky

PRO DRINK in ein Longdrink-Glas 2 EL Wodka, 1 EL Limettensaft, 2 EL Crushed Ice geben, mit Limonade auffüllen. Einen Schuss Blue Curaçao dazugeben. Mit Minze dekorieren.

Mango-Smoothie

FÜR 4 LONGDRINK-GLÄSER:
2 Mangos schälen, Fruchtfleisch vom Stein schneiden und zerkleinern. Mit 4 Kugeln Mangoeis, 400 ml Buttermilch und 2-3 EL Limettensaft im Mixer pürieren. Mit 1-2 EL Mangosirup abschmecken. Gläser nach Belieben mit Mangospalten garnieren.

Petticoat

PRO DRINK in einem Longdrink-Glas 100 ml weißen Traubensaft, Saft von 2 Mandarinen, je 1 EL Zitronensaft und Weinbrand verrühren. Mit Sekt aufgießen. Mit ½ Mandarinenscheibe dekorieren.

Kiwi-Shake

FÜR 4 LONGDRINK-GLÄSER: 8 Kiwis schälen, in Stücke schneiden.
1 Stängel Minze waschen, trockenschütteln und die Blättchen hacken. Kiwistücke, 3-4 TL Puderzucker, 4 Kugeln Zitronensorbet und Minze im Mixer schaumig aufschlagen. Bei Bedarf etwas Apfelsaft untermischen.

Shake rot-weiß

FÜR 4 LONGDRINK-GLÄSER:
400 g Wassermelone entkernen, pürieren, leicht anfrieren lassen. 500 g Honigjoghurt und 4 Kugeln Joghurteis cremig rühren. In Gläser verteilen. Melonenpüree über einen Esslöffel langsam auf die Joghurtmasse fließen lassen. Evtl. mit Melone garnieren. Sofort servieren.
Vor dem Trinken umrühren.

Cabriolet

PRO DRINK in einen Shaker 2 cl Gin, 2 EL Apricot Brandy, 150 ml Orangensaft und Eiswürfel geben. Kräftig schütteln und in ein Longdrink-Glas gießen. Mit Melisseblättchen dekorieren.

Jimmy's Special

PRO DRINK 1 Limette (unbehandelt) heiß abwaschen, trocknen, in Spalten schneiden. In einen Shaker geben und mit einem Stößel zerdrücken. 4 cl Tequila, 2 cl Red Orange, 4 cl Maracujasaft, 10 cl Ananassaft und Eiswürfel zugeben. Alles gut schütteln. Mit Eis und Limettenspalten in ein Longdrink-Glas gießen. Drink mit einer Johannisbeerrispe dekorieren.

Haupt

gerichte

Wenig Aufwand, große Wirkung, viel Genuss: Davon träumt jeder Gastgeber. Hier werden Träume wahr…

SchweineFILET

Superschnell, supereinfach, superlecker

ZUBEREITUNGSZEIT: 55 MIN.

Für 8 Portionen

1 ½ kg Schweinefilet

Pfeffer, 32 Salbeiblätter

16 Scheiben dünn geschnittener Frühstücksspeck (Bacon), Öl fürs Backblech

FÜR DIE SAUCE

2 Zwiebeln, 2 EL Öl

4 EL Tomatenmark

600 ml Fleischbrühe (Instant)

2 EL Tomatenketchup

300 g Crème fraîche

Salz, Pfeffer

AUSSERDEM

Holzspieße, 750 g grüne Bandnudeln, Salz

Pro Portion: 900 kcal/3780 kJ

1 Filet waschen, trockentupfen, in 16 Scheiben schneiden, Endstücke würfeln. Fleischstücke pfeffern (noch nicht salzen!), mit je 2 Salbeiblättchen belegen, je 1 Speckscheibe darumlegen, mit Spießen feststecken.

2 Für die Sauce Zwiebeln abziehen, würfeln. Fleischwürfel im Topf in heißem Öl anbraten, Zwiebeln und Tomatenmark zufügen, mitdünsten. Mit Brühe ablöschen, Ketchup zugeben. Sauce um die Hälfte einköcheln.

3 Elektro-Ofen auf 200 Grad heizen. Fleisch auf ein geöltes Backblech legen, bei 200 Grad (Gas: Stufe 3) in 12-14 Minuten garen.

4 Nudeln nach Packungsangabe in Salzwasser bissfest garen.

5 Sauce durchsieben. Bratfond und Crème fraîche unterziehen. Sauce erhitzen, salzen, pfeffern. Filets mit Nudeln und Sauce servieren.

am tag zuvor

Schneller geht's nicht: **Schweinefilet-Medaillons** am Tag zuvor vorbereiten, zugedeckt kühl stellen. Am nächsten Tag im Backofen garen – so werden alle gleichzeitig fertig. Inzwischen garen die Nudeln, köchelt die Sauce.

!ruck, zuck fertig

Sind die Gäste im Anmarsch: Filets rein in den Ofen – und nach einer Viertelstunde auf den Tisch damit. Prima auch für die Silvester-Party (Seite 95)

KokosHÄHNCHEN

Gästeessen – köstlich fernöstlich

ZUBEREITUNGSZEIT: 45 MIN.

Für 6 Portionen

- *6 Hähnchenbrustfilets (à 150 g)*
- *Salz, Pfeffer, Öl zum Braten*
- *150 ml Kokosmilch (ungesüßt; aus der Dose)*
- *1 EL Currypulver (mild)*
- *¼ TL Sambal Oelek*
- *2 Prisen Zucker*
- *2-3 EL Oyster-Sauce (Austernsauce; Asienregal im Supermarkt; ersatzweise Sojasauce)*
- *600 g aufgetautes chinesisches oder asiatisches TK-Gemüse*
- *1 Mango (ersatzweise 2 Pfirsiche)*
- *1 Bund Koriander (ersatzweise glatte Petersilie)*
- *1 kleines Glas Mango-Chutney (225 g)*
- *400 g Basmati- oder Langkornreis*
- *nach Belieben Sojasauce*

Pro Portion: 580 kcal/2440 kJ

1 Hähnchenfilets waschen, trockentupfen, leicht salzen und pfeffern. In einem Bräter in heißem Öl von jeder Seite 2 Minuten anbraten, beiseite stellen. Kokosmilch mit Curry, Sambal Oelek, Salz, Zucker, Oyster-Sauce verrühren. Die Hähnchen damit bestreichen.

2 Das Gemüse abtropfen lassen. Mango schälen, Fruchtfleisch vom Stein schneiden und fein würfeln. Koriander waschen, trockenschütteln, Blättchen fein hacken. Mit Mangowürfeln und Chutney verrühren.

3 Den Elektro-Ofen auf 200 Grad vorheizen. Hähnchenbrustfilets im Ofen bei 200 Grad (Gas: Stufe 3) in 20 Minuten fertig braten. Den Reis in Salzwasser nach Packungsangabe garen. Das Gemüse nach Packungsangabe zubereiten.

4 Die Hähnchenfilets in Scheiben schneiden. Abgetropften Reis mit dem Gemüse mischen, eventuell mit Sojasauce würzen und auf einer Platte oder in Schalen anrichten. Mit den Hähnchenscheiben und der Mangosauce servieren.

Während das Hähnchen im Ofen brutzelt, garen Reis und Gemüse

ganz einfach

EntenWRAPS

Mit fertigen Tortillas als „Helfershelfer"

ZUBEREITUNGSZEIT: 45 MIN.

Für 8 Portionen

4 Orangen

2-3 rote Zwiebeln (je nach Größe)

300 g Romana-Salat

1 großes Bund Schnittlauch

4 EL schwarze entsteinte Oliven

300 g Crème fraîche

4 TL Zitronensaft

Salz, Pfeffer

4 kleine Entenbrustfilets

(à etwa 280 g)

16 Tortillas (Fertigprodukt)

Pro Portion: 670 kcal/2810 kJ

1 Orangen schälen, filetieren. Zwiebeln abziehen, halbieren, in Streifen schneiden. Salat waschen, trockenschleudern, in Streifen teilen. Schnittlauch waschen, in Röllchen schneiden. Oliven würfeln.

2 Crème fraîche mit Schnittlauch, Oliven und Zitronensaft mischen, salzen und pfeffern.

3 Entenbrustfilets waschen, trockentupfen. Fettseiten rautenförmig einschneiden. Filets beidseitig salzen, pfeffern, in einer Pfanne mit der Hautseite nach unten bei mittlerer Hitze 6-7 Minuten braten. Wenden und weitere 6-7 Minuten braten. Filets 5 Minuten ruhen lassen, dann in sehr dünne Scheiben schneiden

4 Tortillas in einer Pfanne auf jeder Seite erhitzen. Tortillas mit der Crème-fraîche-Mischung bestreichen, mit Fleisch, Salat, Zwiebeln und Orangen belegen. Einrollen, servieren.

welcher wein?

Zu den gefüllten Tortillas empfiehlt sich als **Getränk** ein nicht zu trockener Weißwein, etwa ein Müller-Thurgau aus Baden, ein italienischer Frascati oder ein Chardonnay aus Frankreich. Auch ein Weißherbst aus Baden passt dazu.

rasch gewickelt

Wraps sollte man eigentlich aus der Hand essen. Doch bei dieser Edel-Variante kann man ruhig Messer und Gabel dazulegen

RinderCURRY

Damit punkten Sie bei Asien-Fans

ZUBEREITUNGSZEIT: 110 MIN.

Für 6 Portionen

1 rote Chilischote

2 Zwiebeln

1 Stängel Zitronengras (Asienladen; ersatzweise 1 TL abgeriebene unbehandelte Zitronenschale)

2 EL Öl

1-2 EL rote Currypaste (Asienregal oder -laden)

1 TL Zucker, 1 EL Honig

1 TL gemahlener Koriander

800 g Rindergulasch (in dünne Scheiben geschnitten)

600 ml Fleischbrühe (Instant)

200 ml Kokosmilch (ungesüßt; aus der Dose)

2 rote Paprikaschoten

1 Zucchini

3 EL Cashewnusskerne

300 g Basmati-Reis (Duftreis), Salz

2 EL Fischsauce (ersatzweise Sojasauce)

Pro Portion: 570 kcal/2390 kJ

1 Die Chilischote längs halbieren, putzen, entkernen, waschen und hacken. Zwiebeln abziehen, würfeln. Zitronengras putzen, in 4 cm große Stücke teilen.

2 Das Öl erhitzen, Zwiebeln darin andünsten. Nach Geschmack 1-2 EL Currypaste mit Zitronengras, Chili, Zucker, Honig und Koriander zugeben, 2-3 Minuten andünsten. Fleisch zufügen, 2 Minuten unter Rühren dünsten. Brühe und Kokosmilch angießen, bei kleiner Hitze 60-70 Minuten köcheln lassen.

3 Inzwischen Paprikaschoten und Zucchini putzen, waschen, in Stücke teilen. Nüsse in einer beschichteten Pfanne ohne Fett anrösten. Reis nach Packungsangabe in Salzwasser garen.

4 Rinder-Curry mit Fischsauce abschmecken, Zitronengras entfernen. Paprika und Zucchini zugeben, und noch 10 Minuten schmoren lassen. Rinder-Curry anrichten, mit Nüssen bestreuen. Reis dazu servieren. Dazu schmeckt kühles Bier.

ein Erlebnis

Scharfes aus Fernost – bestens geeignet als Höhepunkt eines Asia-Menüs (Seite 94)

LammBRATEN

Mariniert und mit Basilikumpaste serviert

ZUBEREITUNGSZEIT: 110 MIN.

Für 6 Portionen

BITTE BEACHTEN: FLEISCH MUSS ÜBER NACHT MARINIEREN

1,2 kg ausgelöste Lammkeule, Küchengarn zum Binden

3 Knoblauchzehen

je ½ Bund Thymian, Majoran, Estragon

Salz, Pfeffer

100 ml Olivenöl

1,2 kg Kartoffeln (fest kochend)

3 Zweige Rosmarin

600 g Kirschtomaten

150 ml Pastis (Anisschnaps, z.B. Pernod)

FÜR DAS PISTOU (BASILIKUMPASTE)

3 Knoblauchzehen

3 große Bund Basilikum

ca. 125 ml Olivenöl

100 g fein geriebener Greyerzer oder Parmesan

Pro Portion: 905 kcal/3800 kJ

1 Fleisch waschen, trockentupfen, mit Küchengarn binden. Knoblauch abziehen, durchpressen. Kräuter waschen, Blättchen hacken. Knoblauch, Kräuter, Salz, Pfeffer, Öl verrühren, Fleisch damit bepinseln und zugedeckt über Nacht marinieren.

2 Für das Pistou: Knoblauch abziehen, durchpressen. Basilikum abbrausen, Blättchen mit Knoblauch und Öl pürieren. Käse zufügen.

3 Kartoffeln schälen, längs achteln. Elektro-Ofen auf 175 Grad heizen. Fleisch abtropfen lassen, Marinade auffangen. Fleisch salzen, pfeffern, in einer Pfanne rundum anbraten. Auf die Fettpfanne des Backofens legen. Kartoffeln salzen, pfeffern. Mit Marinade beträufeln, um den Braten legen. Rosmarin auf die Kartoffeln legen. Bei 175 Grad (Gas: Stufe 2) ca. 60 Minuten braten. Kartoffeln ab und zu wenden.

4 Tomaten waschen, halbieren und 15 Minuten vor Garzeitende zu Kartoffeln geben. Pastis 10 Minuten einköcheln, Braten damit bepinseln.

5 Braten herausnehmen, 10 Minuten ruhen lassen. Aufschneiden, mit Kartoffeln, Tomaten, Pistou servieren.

Ein Schlemmermahl, wie es die Franzosen lieben

! macht kaum Arbeit

Schütteln oder rühren?

Beides kein Problem, wenn man die richtigen Mix-Utensilien hat

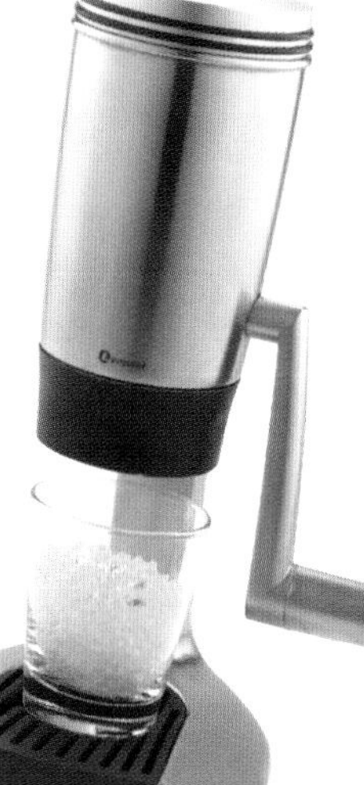

Eis-Behälter

Eiswürfel – durch Vakuum-Kühlung schmelzsicher verpackt und mit der Eiszange Stück für Stück entnommen

Ice-Wolf

Der macht vor keinem Eiswürfel Halt und liefert jede Menge Crushed Ice – direkt ins Glas

Barstößel

Zum Zerdrücken von Limetten (z.B. bei Caipirinha, Rezept Seite 25) oder anderen Früchten

Shaker, Barmaß und -löffel

Shaker mit integriertem Sieb zum Abgießen des Drinks, Barmaß mit Skala von 1 bis 5 cl und Barlöffel zum Umrühren der Zutaten im Rührglas

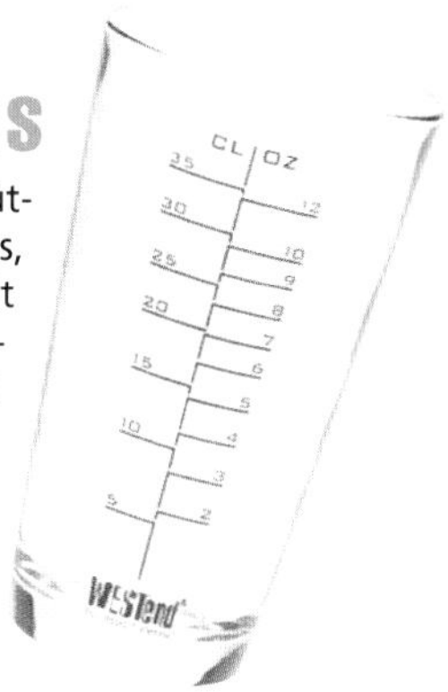

Rührglas

Wenn nicht geschüttelt werden muss, tut's das Rührglas mit Skalierung. Maßangabe bis 35 cl

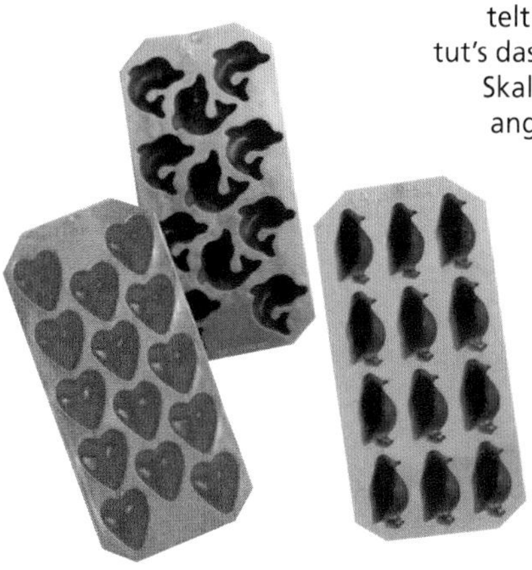

Eis-Formen

Statt Würfeln tummeln sich Delfine, Pinguine oder Herzen fröhlich im Glas

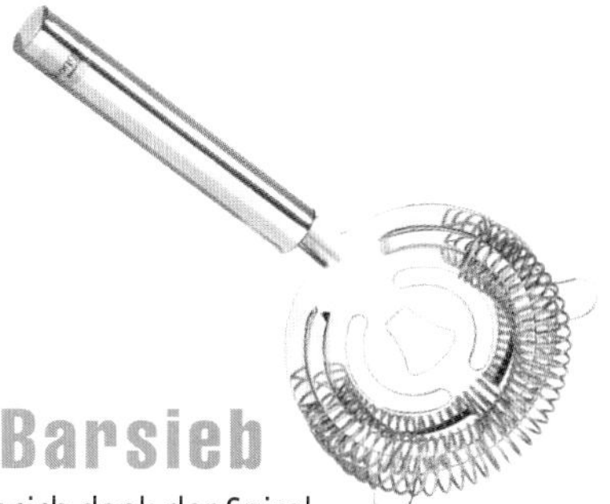

Barsieb

Passt sich dank der Spiralfeder beim Abgießen des Drinks jeder Rührglasöffnung an

MIT „NACH

Einfach genial: in der Mitte ein Topf mit Kartoffelsuppe, drum herum jede Menge raffinierte Toppings. Da „kocht" jeder sein eigenes Süppchen...

DER ZEITPLAN

AM VORTAG

Kartoffelsuppe kochen und kalt stellen. Forellencreme vorbereiten. Badischen Apfelkuchen backen. Mandarinen-Cocktail vorbereiten.

2-3 STUNDEN BEVOR DIE GÄSTE KOMMEN

Forellencreme fertig stellen, die Toppings für die Suppe vorbereiten.

KURZ VOR DEM SERVIEREN

Cocktails zubereiten, Forellencreme auf das Baguette streichen und anrichten. In der Zwischenzeit die Suppe erwärmen, Sahne steif schlagen und unterheben. Zum Kuchen nach Belieben Espresso oder Kaffee reichen.

SCHLAG"-GARANTIE

Als Aperitif:

MANDARINEN-COCKTAIL

450 ml Mandarinen- oder Clementinensaft (aus 6-10 Früchten) mit 3-4 Zweigen Minze einige Stunden kalt stellen. Minze entfernen, Saft mit 60 ml Orangenlikör mischen. Auf 6 Gläser verteilen, mit Sekt auffüllen.

DAS GIBT ESS FÜR 6 PERSONEN

MANDARINEN-COCKTAIL

FORELLENCREME *auf* BAGUETTE

KARTOFFELSUPPE *mit neun Toppings zum Auswählen*

BADISCHER APFELKUCHEN

ForellenBAGUETTE

Als pikanter Snack vorweg

ZUBEREITUNGSZEIT: 50 MIN.

Für 6 Portionen

400 g geräuchertes Forellenfilet

250 g Crème fraîche

Salz, Pfeffer

1-2 TL Zitronensaft

1 TL geriebener Meerrettich (Glas), 100 g Schlagsahne

ZUM VERZIEREN

½ Bund Dill

5 Kirschtomaten

¼ Salatgurke, einige Salatblätter (z.B. Rucola)

eingelegter grüner Pfeffer

AUSSERDEM

½ Baguette (für 12 Scheiben)

Pro Portion: 300 kcal/1260 kJ

1 **Am Vortag:** 300 g Forellenfilet pürieren, durch ein Sieb streichen. Mit Crème fraîche verrühren, mit Salz, Pfeffer, Zitronensaft und Meerrettich würzen. Zugedeckt kalt stellen.

2 **2-3 Stunden bevor die Gäste kommen:** Übriges Forellenfilet in Stücke teilen und unter die Forellencreme heben. Sahne steif schlagen und unterziehen, eventuell noch mal abschmecken. Dill abbrausen und trockenschütteln. Tomaten waschen und vierteln. Gurke waschen, längs halbieren, entkernen und in Stücke schneiden. Salatblätter abbrausen und trockentupfen.

3 **Kurz vor dem Servieren:** Das Baguette in Scheiben schneiden. Mit Salatblättern belegen, Forellencreme darauf verteilen und etwas verstreichen. Brote mit Tomaten, Dill, Gurke und grünem Pfeffer nach Belieben verzieren und sofort servieren.

info

Die zarten grünen **Dillspitzen** sind mit ihrem süßlich-würzigem Aroma ideale Begleiter zu Fisch. Sie finden aber auch zum Würzen von Quark, Eierspeisen, Salaten und neuen Kartoffeln Verwendung.

Pikanter Happen aus Räucherfisch-Meerrettich-Creme. Dazu darf's ein trockener Weißwein, z.B. ein Riesling, sein

Kartoffel SUPPE

Und Toppings zum Auswählen

ZUBEREITUNGSZEIT: 80 MIN.

Für 6 Portionen

1 ½ kg Kartoffeln (vorwiegend fest kochend)

1 Bund Suppengemüse

150 g Petersilienwurzel

1 Möhre

2 Zwiebeln

2 Knoblauchzehen

3 EL Butter

2 l Gemüsebrühe (Instant)

Salz, Pfeffer

1 TL getrockneter Majoran

1 EL Senf (mild)

300 g Schlagsahne

Pro Portion: 495 kcal/2080 kJ

1 **Am Vortag:** Die Kartoffeln waschen und schälen. 4-5 Kartoffeln klein würfeln und beiseite legen.

2 Restliche Kartoffeln grob würfeln. Suppengemüse, Petersilienwurzel und Möhre putzen, waschen, eventuell schälen und fein würfeln. Zwiebeln und Knoblauch abziehen, würfeln. Suppengemüse mit Petersilienwurzel, Möhre, Zwiebeln und Knoblauch in einem großen Topf in heißer Butter andünsten. Grob gewürfelte Kartoffeln und Brühe zugeben und 20 Minuten im geschlossenen Topf garen.

3 Topf vom Herd nehmen und die Suppe mit dem elektrischen Pürierstab vorsichtig pürieren (Achtung: Spritzgefahr!). Kleine Kartoffelwürfel in die Suppe geben und etwa 10 Minuten köcheln, bis sie gar sind. Suppe mit Salz, Pfeffer, Majoran und Senf abschmecken. Kalt stellen.

4 **Kurz bevor die Gäste kommen:** Suppe erwärmen. Sahne halb steif schlagen und unterheben. Im Topf auf dem Herd (niedrigste Temperatur), in einer Schüssel oder Terrine auf einer Warmhalteplatte oder einem Stövchen warm halten. Beilagen (siehe Rezepte auf Seite 74/75) dazustellen.

Zur Kartoffelsuppe mit Toppings (nächste Seite) passt Bier oder ein kräftiger Landwein, z.B. französischer Rotwein aus der Provence

9-mal anders

Suppen TOPPINGS

Aus Fisch, Wurst, Gemüse, Gewürzen

Alle Suppeneinlagen lassen sich **2-3 Stunden bevor die Gäste kommen** zubereiten und dann zusammen mit der Suppe auftischen.

1-3 FERTIGE TOPPINGS

In Schälchen Nr. 1 sind Crème fraîche und Currrypaste, Schälchen Nr. 2 enthält Kürbiskernöl und in Schälchen Nr. 3 sind getrocknete Tomaten – in Streifen geschnitten – und Kapern aus dem Glas.

4 BRATWURST

8 kleine Nürnberger Bratwürstchen in Scheiben teilen, in 1 EL Öl braten. 1 Apfel waschen, putzen, vierteln, in dünne Spalten teilen, 1 Minute mitbraten. Mit frischem oder getrocknetem Salbei bestreuen.

5 SPECK-TOMATEN

Je 1 Zwiebel und Knoblauchzehe abziehen und würfeln. 75 g Speck würfeln. Alles andünsten. 255 g weiße Bohnen (aus dem Glas) abtropfen lassen, zugeben. 150 g geschälte Tomaten (aus der Dose) darunter heben. 15 Minuten köcheln lassen. Mit Salz, Pfeffer und Tabascosauce abschmecken. Mit Petersilienblättchen bestreuen.

6 MANGOLD

½ Staude Mangold (oder 250 g Blattspinat) putzen, waschen, samt Stielen klein schneiden. Stiele in 1 EL Olivenöl 4-5 Minuten, Blätter 2-3 Minuten dünsten. Mit Salz, Pfeffer und gemahlenem Kreuzkümmel (Cumin) würzen. Je 2-3 EL Rosinen und Pinienkerne zugeben.

7 ZITRONENLACHS

200 g Räucherlachs in Streifen teilen. 1 Bund Dill waschen, Spitzen fein hacken. 150 g Senfgurken (Glas) fein würfeln, unterheben. Mit Zitronenschale (unbeh.), Zitronensaft, Salz, Pfeffer und Dill würzen.

8 PIKANTE SALAMISTREIFEN

100 g Chorizo (spanische Salami) in Streifen schneiden. Kurz ausbraten. 2-3 EL Sonnenblumenkerne zugeben.

9 SCHARFE KASSELER-WÜRFEL

200 g Kasseler-Aufschnitt würfeln. 2 Tomaten waschen, entkernen, fein würfeln. 140 g Maiskörner (Dose) abtropfen lassen, mit Tomaten und Kasseler mischen. Mit Tabasco, Salz und Pfeffer würzen.

1
2
3
4
5
6
Neun tolle Toppings für die Kartoffelsuppe von Seite 72
8
7
9
Die Arbeit? Ein Klacks!

ApfelKUCHEN

Der geht weg wie warme Semmeln

ZUBEREITUNGSZEIT: 60 MIN.

Für 12 Stücke

FÜR DEN MÜRBETEIG

Fett für die Springform (26 cm Ø)

200 g Mehl und Mehl zum Arbeiten

1 Prise Salz, 50 g Zucker

1 Eigelb (Ei: Größe M)

100 g kalte Butter

FÜR DEN BELAG

750 g mittelgroße säuerliche Äpfel, 50 g Butter

50 g Zucker, ¼ TL gem. Zimt

2 EL Apfelgelee

50 g Rosinen

50 g Mandelblättchen

Pro Stück: 260 kcal/1090 kJ

1 **Am Vortag:** Den Elektro-Ofen auf 200 Grad vorheizen. Form fetten.

2 Mehl mit Salz, Zucker, Eigelb, Butter in Flöckchen und 1-2 EL eiskaltem Wasser rasch zum Mürbeteig verkneten. Teig auf einer bemehlten Arbeitsfläche zu einer dünnen Platte, etwas größer als die Form, ausrollen. In die Form legen, einen 3 cm hohen Rand formen. Kühl stellen.

3 Äpfel waschen, schälen, vierteln, entkernen. Äpfel in dünne Scheiben hobeln. Butter zerlassen. Zucker mit Zimt vermischen. Teigboden mit Apfelgelee bestreichen. Apfelscheiben in die Form schichten. Rosinen dazwischen streuen.

4 Die Äpfel mit zerlassener Butter bestreichen. Mandelblättchen und Zimtzucker darüber streuen.

5 Apfelkuchen im unteren Drittel des Ofens bei 200 Grad (Gas: Stufe 3) 30-35 Minuten backen.

info

Für **Apfelkuchen** braucht man Früchte mit festem, saftigem Fruchtfleisch, z.B. die Sorte „Jonathan". Die ist mit ihrem fruchtig-säuerlichen Aroma genau richtig für diesen Kuchen.

! am Vortag backen

Ein Rezept aus Baden und so gut, dass jeder gern zweimal zugreift

Deko Tipps

Um für die Party das richtige Ambiente zu schaffen, braucht's nicht viel. Mit ein paar originellen Ideen versetzen Sie alle in Wohlfühl-Stimmung!

Herbst-stimmung

Einfach und originell: Große Blätter aus Garten oder Park aufsammeln, eventuell mit Küchenpapier trockentupfen und auf die gefalteten Servietten legen

Schön aufgedeckt

Witzige Sets, selbst gemacht: Auf Rechtecke aus Packpapier Teller und Löffel zeichnen, ausschneiden und auf einfarbige Stoff-Sets legen

Behagliches Licht

Teelichter in bunten Gläsern spenden warmes, stimmungsvolles Licht bei Tisch. Schön dazwischen: vereinzelte Gläser mit Rosen oder anderen Blumen

Platzteller

Damit jeder weiß, wo er am Tisch sitzt, können Sie mit Porzellanfarbe die Namen der Gäste auf die Teller schreiben. Die Farbe lässt sich später wieder abwaschen. Stifte gibt's von „Marabu-Porcelain-painter" in Bastelgeschäften

Highlights

Diejenigen Kartoffeln, die nicht in der Suppe landeten, dürfen als Kerzenhalter herhalten! Dafür in große, flache Exemplare mit der Messerspitze Löcher bohren, etwas aushöhlen und Kerzen hineinstecken

Desserts

Beim süßen Finale legt man sich für Freunde noch mal richtig ins Zeug. Schön, wenn sich alles so gut vorbereiten lässt

Kuchen

SchokoMOUSSE

Verführung pur für Ihre Gäste

ZUBEREITUNGSZEIT: 40 MIN.

Für 10 Portionen

BITTE BEACHTEN: MUSS 4 STUNDEN KALT STEHEN

300 g dunkle Schokolade

1 Msp. Cayennepfeffer

1 Vanilleschote

4 Eier (Größe M), 80 g Butter

20 g Zucker

300 g Schlagsahne

AUSSERDEM

100 g frische Himbeeren

einige Minzeblättchen zum Dekorieren, 5 EL Crème fraîche oder Schmand

Pro Portion: 360 kcal/1510 kJ

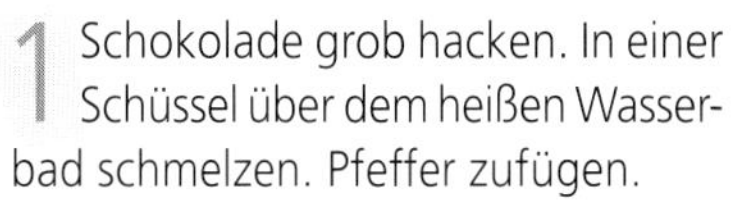

1 Schokolade grob hacken. In einer Schüssel über dem heißen Wasserbad schmelzen. Pfeffer zufügen.

2 Vanilleschote längs aufschneiden, das Mark herauskratzen. Eier trennen. Die Eigelbe mit Vanillemark und 3 EL Wasser in einer Schüssel über dem heißen Wasserbad schaumig schlagen. Butter schmelzen, etwas abkühlen lassen, unter die Eigelbe schlagen. Vorsichtig die flüssige Schokolade unter die Creme ziehen: Die Creme darf nicht zu kühl sein, sonst verbindet sich die Schokolade nicht mit der Eigelbmasse.

3 Eiweiße mit Zucker sowie Sahne getrennt steif schlagen. Erst Sahne, dann Eischnee unterheben. Creme zugedeckt 4 Stunden kalt stellen.

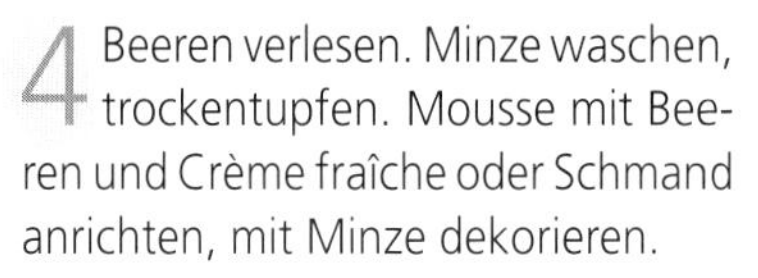

4 Beeren verlesen. Minze waschen, trockentupfen. Mousse mit Beeren und Crème fraîche oder Schmand anrichten, mit Minze dekorieren.

süße handys

Fingerfood als Dessert: **Marzipan-Datteln.** Dafür 200 g Marzipan-Rohmasse, 2 EL Orangenlikör, 2 EL Pistazienkerne, 1 entkernte Chilischote und die Blättchen von 4 Thymianzweigen im Mixer pürieren. Marzipan in 40 Stücke teilen, in 40 entsteinte Datteln füllen.

Luftiger Schokoladentraum mit Crème fraîche und Himbeeren

ein Augenschmaus!

Kokos PARFAIT

Einfach zum Dahinschmelzen

ZUBEREITUNGSZEIT: 50 MIN.

Für 6 Portionen

BITTE BEACHTEN: PARFAIT ÜBER NACHT TIEFKÜHLEN

- *1 Vanilleschote*
- *200 ml Kokosmilch (ungesüßt; aus der Dose)*
- *4 Eigelb (Eier: Größe M)*
- *80 g Zucker*
- *nach Belieben 2 EL Kokoslikör*
- *400 g Schlagsahne*
- *exotische Früchte (z.B. 1 Papaya, 1 Mango, 1 Baby-Ananas)*
- *Kokosraspel, Honig*
- *Minzeblättchen für die Dekoration*

Pro Portion: 340 kcal/1430 kJ

1 Vanilleschote längs aufschneiden, das Mark herauskratzen. Beides in der Kokosmilch erhitzen, aber nicht kochen. Eigelbe und Zucker schaumig schlagen. Vanilleschote herausnehmen, heiße Kokosmilch langsam unter die Eigelbmasse rühren, dabei kräftig mit dem Schneebesen aufschlagen. Schüssel in einen Topf mit heißem Wasser stellen, die Masse in 5-6 Minuten dickschaumig schlagen.

2 Schüssel herausnehmen, Masse kalt rühren. Nach Belieben Likör zugießen. Sahne steif schlagen, unterziehen. Creme in eine mit Klarsichtfolie ausgelegte Kastenform (Inhalt: 1 l) füllen und über Nacht tiefkühlen.

3 Parfait im Kühlschrank antauen lassen. Früchte putzen, schälen und klein schneiden.

4 Parfait stürzen, Folie abziehen, Parfait in Scheiben teilen. Früchte, Kokosraspel und Honig darüber geben. Mit Minze garnieren.

info

Kokosmilch wird aus dem weichen pürierten Fleisch junger Kokosnüsse gewonnen, das mit Kokoswasser vermischt und ausgepresst wird. Gibt's gesüßt und ungesüßt.

Exotisches Highlight – prima geeignet als Dessert für ein Asia-Menü (Seite 94)

das gibt Komplimente!

Panna COTTA

Als Glücksbringer in Kleeblattform

ZUBEREITUNGSZEIT: 60 MIN.

Für 1 Kleeblattform (26 cm Ø) oder 1 Glasschüssel. Ergibt 10 Portionen

BITTE BEACHTEN: MUSS ÜBER NACHT KALT STEHEN

12 Blatt weiße Gelatine

2 Vanilleschoten

1,2 kg Schlagsahne

140 g Zucker

800 ml Ananasnektar

FÜR DEN OBSTSALAT

1 kleine Ananas

Saft von 1 Limette

Zucker oder Honig zum Abschmecken

200 g tiefgekühlte Himbeeren

1 Bund Minze oder Melisse

AUSSERDEM

gehackte Pistazien

Pro Portion: 505 kcal/2120 kJ

1 Gelatine in kaltem Wasser einweichen. Vanilleschoten längs aufschneiden, das Mark herauskratzen. Sahne erhitzen, Vanillemark, -schoten und Zucker zugeben, bei kleiner Hitze 15 Minuten köcheln lassen. Topf vom Herd nehmen, Vanilleschoten entfernen. Ananasnektar zugießen. Gelatine in die heiße Flüssigkeit rühren, bis sie sich aufgelöst hat. Sahne in die kalt ausgespülte Kleeblattform oder in eine Glasschüssel füllen und über Nacht kalt stellen.

2 Ananas schälen, vierteln, den harten Strunk entfernen. Das Fruchtfleisch in kleine Stücke teilen. Mit Limettensaft und Zucker oder Honig mischen und zugedeckt kalt stellen. Himbeeren im Kühlschrank auftauen lassen.

3 Zum Servieren Panna-cotta-Form kurz in heißes Wasser tauchen, einen großen Kuchenteller darauf legen, alles umdrehen, so dass die Panna cotta auf den Teller gestürzt wird. Panna cotta mit Ananasmarinade beträufeln, mit Pistazien verzieren. Minze oder Melisse abbrausen, Blättchen abzupfen. Ananasstücke, Himbeeren und Minze oder Melisse mischen, um die Panna cotta herum verteilen.

Hübsche Leckerei für eine Geburtstags-Party oder fürs Silvester-Buffet *(Seite 95)*

! lässt keine Wünsche offen

Milchreis SUSHIS

Originelle Idee für süßes Fingerfood

ZUBEREITUNGSZEIT: 35 MIN.

Für 6 Portionen

BITTE BEACHTEN: MÜSSEN 1 STUNDE KALT STEHEN

400 ml Kokosmilch (ungesüßt; aus der Dose)

600 ml Milch, 2-3 EL Zucker

2 Pck. Vanillinzucker

1 Prise Salz, 1 Zimtstange

280 g Milchreis

250 g Erdbeeren, 1 Papaya

Zitronenmelisseblättchen

kandierte Ingwerpflaumen (Glas)

Pro Portion: 290 kcal/1220 kJ

1 Kokosmilch mit Milch, Zucker, Vanillinzucker, Salz, Zimtstange und Milchreis in einem großen Topf aufkochen. Bei kleinster Hitze etwa 20 Minuten quellen lassen. Zimtstange entfernen. Reis zum Abkühlen auf ein Backblech streichen.

2 Erdbeeren waschen, putzen und in dünne Scheiben schneiden. Papaya halbieren, Kerne mit einem Teelöffel entfernen. Papaya schälen, Fruchtfleisch in dünne Scheiben teilen. Melisse waschen, trockentupfen.

3 Vom Milchreis mit zwei Esslöffeln Nocken abstechen und mit Früchten und Melisse wie Sushis dekorieren. Sushis zugedeckt etwa 1 Stunde kalt stellen. Dann Sushis auf Tellerchen servieren.

4 Kandierten Ingwer würfeln, in einem Schälchen dazuservieren.

und dazu?

Asia-Cappuccino: 100 g Sahne steif schlagen. 2 EL Kokosraspel in einer Pfanne rösten. In 6 Tassen je 1 TL Espressopulver geben, mit kochendem Wasser aufbrühen. Je 1 EL Kokoslikör zugeben. Mit Sahne und Kokos verzieren. Zucker dazureichen.

Wetten, dass Ihre Gäste Sushis in dieser Form noch nicht kennen? Mit einem Asia-Cappuccino der absolute Hit!

der Party-Renner

MandelKUCHEN

Süßes Finale der Tapas-Party (Seite 92/93)

ZUBEREITUNGSZEIT: 65 MIN.

Für 1 Springform (26 cm Ø). Ergibt 12 Stücke

BITTE BEACHTEN: TEIG MUSS 1 STUNDE KÜHL STEHEN

FÜR DEN TEIG

150 g Mehl, 80 g Butter

1 Eigelb (Ei: Größe S)

2 EL Zucker, 1 Prise Salz

1 Päckchen Vanillezucker

FÜR DIE FÜLLUNG

125 g Quittengelee

1 Zitrone (unbehandelt)

4 Eier und 1 Eiweiß (Eier: Größe M), 75 g Zucker

2 EL Amaretto (Mandellikör)

50 g geh. Pistazien, 200 g geschälte gem. Mandeln

Puderzucker

Pro Stück: 290 kcal/1220 kJ

1 Alle Teigzutaten zu einem Mürbeteig verkneten. Teig in Klarsichtfolie gewickelt 1 Stunde kühl stellen.

2 Springform mit Backpapier auslegen. Elektro-Ofen auf 175 Grad vorheizen. Teig ausrollen, den Springformboden damit auslegen.

3 2-3 EL Quittengelee erwärmen, auf dem Teig verstreichen. Von der Zitrone 1-2 TL Schale abreiben, den Saft auspressen.

4 Eier trennen. Eigelbe mit der Hälfte des Zuckers schaumig rühren. Likör, Pistazien, Mandeln, Zitronensaft und -schale unterrühren. Alle Eiweiße mit übrigem Zucker zu steifem Schnee schlagen. Unter die Mandelmasse heben und in die Form geben.

5 Kuchen im Ofen bei 175 Grad (Gas: Stufe 2) etwa 40 Minuten backen. Übriges Gelee erwärmen, auf den heißen Kuchen streichen. Erkaltet mit Puderzucker bestäuben.

info

Amaretto (z.B. Disaronno) ist ein Mandellikör aus 17 Kräutern und Gewürzen, mit 28 % Alkohol. Er eignet sich zum Aromatisieren von Backwaren, als Begleiter von Desserts und zum Kaffee.

typisch spanisch

Eine Leckerei, die man gerne als Dessert reicht. Kann am Tag vorher gebacken werden

Das könnte Ihre Party werden

Aus den Rezepten dieses Buches haben wir für Sie drei Partys mit passender Deko zusammengestellt: eine Tapas-, eine Asia- und eine Silvester-Party

Spanische Fächer

Das brauchen Sie pro Fächer: gelbes Tonpapier (70 x 15 cm), dünnes rotes oder schwarzes Papier (70 x 10 cm), Kleber, 70 cm lange weiße und schwarze Spitze (Stoffabteilung), gelbes Band.

So geht's: Auf die untere Hälfte des gelben Papiers das rote oder schwarze Papier kleben. Darüber die Spitze festkleben. Trocknen lassen. Papier längs ziehharmonikaartig zusammenfalten. Am roten/schwarzen Ende mit dem Band umwickeln, festknoten. Den oberen Teil des Fächers etwas auseinander ziehen, evtl. vorher lochen.

Tapas-Party

DAS GIBT ES AM BUFFET

Sherry Fino *als Aperitif*

Marinierte Pilze, *Seite 18*

Pikante Garnelen, *Seite 12*

Kartoffel-Tortilla, *Seite 20*

Filet-Happen, *Seite 10*

Serrano-Schinken
mit Salzmandeln, *Seite 18*

Manchego-Käse, *Seite 12*

Mandelkuchen, *Seite 90*

Zitronenkette

Das brauchen Sie: eine lange, dünne Stricknadel (oder einen Schaschlikspieß), Zitronen und Zitronenblätter (beim Obsthändler vorbestellen), dünnen Blumendraht von der Rolle (Bastelladen). **So geht's:** Mit der Nadel die Zitronen durchbohren. Früchte abwechselnd mit den Zitronenblättern auf Blumendraht fädeln.

Bunte Blumen

Das Buffet mit Ranunkeln, Nelken oder Klatschmohn in den spanischen Landesfarben Rot und Gelb schmücken.

Steine in den Landesfarben

Kieselsteine (Baumarkt) mit gelber und roter Finger- oder Plaka-Farbe (Bastelladen) in Form der spanischen Flagge bemalen.

ASIA-MENÜ

DAS GIBT ES:

Melonen-Cocktail, *Seite 8*

Chili-Mango-Salat, *Seite 8*

Rinder-Curry mit Gemüse und Reis, *Seite 62*

Kokos-Parfait mit Früchten, *Seite 84*

Namensschilder mit Blüten

Das brauchen Sie: weißes Papier, dünne Pappe, Schere, Buntstifte und Klebstoff, Kartenhalter (Dekoladen).
So geht's: Aus dem Papier Blüten ausschneiden und mit Buntstiften bemalen. Aus der dünnen Pappe Rechtecke schneiden und unten die Namen der Gäste draufschreiben. Blüte auf den oberen Teil kleben. Am Kartenhalter befestigen.

Bananenblatt als Reisschale

Das brauchen Sie: kleine Bananenblätter (Asienladen), Holzspießchen, große Blüten (z.B. Orchideen).
So geht's: Bananenblätter abwaschen, trockentupfen. Mit der glänzenden Seite nach oben auf den Tisch legen, die kurzen Seiten hochknicken und mit Holzspießchen feststecken, so dass ein Gefäß entsteht. Reis einfüllen und mit Blüten garniert servieren.

Trinkbecher im Asien-Look

Das brauchen Sie: Anhänger (in Asien-/Dekoladen), farbige oder einfache Holz-Essstäbchen (Asienladen), Pappbecher mit asiatischen Motiven (Haushaltsladen).
So geht's: Anhänger um die Essstäbchen wickeln. Stäbchen auf die Becher legen und auf den Tisch stellen.

Silvester-Party

DAS GIBT ES:

Dekorative Untersetzer

Das brauchen Sie: Schablonen für Sterne in verschiedenen Größen, einen Bleistift, verschiedenfarbige Moosgummibögen (Bastelladen) und eine Schere.
So geht's: Mit Hilfe der Schablonen unterschiedlich große Sterne auf die Gummibögen zeichnen und ausschneiden. Jeweils einen kleinen Stern auf einen großen legen und als Glasuntersetzer auf dem Tisch verteilen. Tipp: Sterne mit dünnem Filzstift beschriften und dann als Namenskärtchen verwenden.

Spannendes Bleigießen

Das brauchen Sie: Zeitungspapier, Teelichter, 1-2 Packungen Bleifiguren mit Löffel zum Gießen (Supermarkt, Spielwarenladen), eine Metallschüssel mit kaltem Wasser.
So geht's: Zeitungspapier auf einer Arbeitsfläche ausbreiten. Schüssel und brennende Teelichter darauf stellen. Die Figuren auf den Löffel legen, Löffel über die brennende Kerze halten. Ist das Blei geschmolzen, vorsichtig ins kalte Wasser gleiten lassen. Erkalteten Guss herausnehmen, anhand der Packungsangabe deuten.

Register

A

B

C

E

F

G

H

J

K

L

M

O

erscheint im
MFI MEINE FAMILIE UND ICH VERLAG GmbH
Anschrift Verlag und Redaktion
Arabellastraße 23,
81925 München
Telefon (0 89) 92 50 0
Telefax (0 89) 92 50 30 30
http://www.meine-familie-und-ich.de
E-Mail: elisabeth.klapper@burda.com

Chefredakteurin Birgitt Micha
Art Director Hans-Jürgen Riegel
Redaktion Elisabeth Klapper
Schlussredaktion Irmgard Schultheiß, Jutta Friedrich
Grafik Evelyn Kugler
Chef vom Dienst Gabriele Mraz

Fotos Burda-Archiv; freundin-Archiv (M. Boyny, 6; J. Cox; P. A. Eising); meine Familie & ich-Archiv (A. Deimling-Ostrinsky, 42; P. A. Eising, 11; C. P. Fischer; M. Harder, 15; J.-P. Westermann, 4; M. Wissing; B. Wohlgemuth, 3); Stock-Food (Eising, 2; J. Peters); gettyimages; Mauritius/Pöhlmann; Informationsbüro Sherry; Werkfotos, 11

Geschäftsführung Reinhold G. Hubert, Frank J. Ohlhorst
Anzeigenmarketing Jürgen Brandt (Anzeigenleiter), Telefon (07 81) 84 22 23

BURDA MEDIEN VERTRIEB GmbH, Offenburg
Vertriebsleiter Wilhelm Westerkamp, Telefon (07 81) 84 22 08

MFI MEINE FAMILIE UND ICH VERLAG GmbH
Alleinige Gesellschafterin Burda GmbH: Hubert Burda Media Holding GmbH & Co. Kommanditgesellschaft Offenburg/München. Alleiniger Kommanditist und Gesellschafter der Hubert Burda Media Holding Geschäftsführungs-GmbH: Prof. Dr. Hubert Burda

---

Verleger Prof. Dr. Hubert Burda